Actie voor twee zeehondjes

Ook van Hans Kuyper

Merel en Melle 8-10
Het geheim van het Kruitpaleis
Gered door de honden
Spooktocht in het donker
Jacht op de tekenaar
Actie voor twee zeehondjes

8-10
Het geheim van kamer 13
Kat in 't bakkie, rijmen is een makkie

De fluisteraars 10+
De fluisterkelders
Walviseiland
Woud van de wind
Operatie Noorderlicht

12+
Ik had je zo lief
Je bent van mij! (met Maren Stoffels)

www.hanskuyper.eu
hanskuyper@hotmail.com

Hans Kuyper

Actie voor twee zeehondjes

Tekeningen Mark Janssen

Leopold / Amsterdam

Voor Jeanette, schoonzus en stewardess, als dank voor het woord 'ummetjes'...

AVI 7 / M5

Eerste druk 2011

Omslagontwerp: Hannah Weis
Uitgeverij Leopold, Amsterdam / www.leopold.nl
ISBN 978 90 258 5835 3 / NUR 282

Uitgeverij Leopold drukt haar boeken op papier met het FSC-keurmerk. Zo helpen we waardevolle oerbossen te behouden.

Inhoud

Een stipje in de oceaan

Merel vertrouwt hem niet.

Ze weet dat het onzin is, en zelfs onaardig. Want hij heeft niets vervelends gedaan. Hij heeft zelfs nog geen woord gezegd. En hij is haar neef, de zoon van oom Peter. Maar zoals hij daar hangt, met die bleke huid en dat warrige, rode haar, zoals hij zwijgend uit het autoraam naar de heuvels staart – nee, Merel mag hem niet. En nou moet ze nog naast hem zitten ook.

Haar tweelingbroer Melle zit natuurlijk voorin met oom Peter te babbelen.

'Hebben jullie een goede vlucht gehad?' vraagt oom Peter.

'Ja hoor,' zegt Melle. 'We hadden een leuke stewardess die ons ummetjes noemde.'

'Ummetjes?'

'Ja,' legt Melle uit. 'We hadden een plastic zakje om onze nek met ons paspoort en ticket. En op dat zakje stond U.M. Daarom noemde ze ons zo. Ummetjes.'

Oom Peter begint te lachen.

'Geweldig,' zegt hij. 'Ummetjes. Weet je wat dat U.M. betekent? Het is een Engelse afkorting voor een kind dat alleen op reis is.'

En zo is het, denkt Merel. Alleen op reis. Zonder mama en papa. Omdat die deze week de keuken gaan verbouwen. En heel ver weg, naar een stipje in de Atlantische Oceaan.

De eilanden van Shetland. Want daar woont oom Peter met zijn Shetlandse vrouw Tanya. En hun zoon Michael.

Neef Michael.

Merel gluurt weer even opzij. Hij hangt nog steeds onderuitgezakt op de bank. Zijn voorhoofd leunt tegen de ruit. En hij zwijgt. Misschien kán hij niet eens praten.

Oom Peter kan dat wel. Hij ratelt maar door over alles waar ze langsrijden.

'Zie je die rare toren daar?' Hij wijst. 'Dat is een *broch*, een prehistorisch kasteel. Daar hebben we er heel veel van. En we hebben ook burchten van de vikingen. En nu rijden we Lerwick in, de hoofdstad van de Shetlands.'

'Klein stadje,' zegt Melle.

'Klein maar fijn,' zegt oom Peter. 'Kijk, de veerboot naar Schotland. En nu gaan we de heuvel over, op weg naar je tante. Ik denk dat ze de tomatensoep al warm heeft. Lusten jullie tomatensoep? Jullie zullen wel trek hebben.'

'We zijn de stad alweer uit,' zegt Melle.

Michael haalt opeens zijn neus op, zo hard dat Merel ervan schrikt. Hij kan dus wel geluid maken. En grijnzen kan hij ook. Hij vindt het zeker leuk dat ze geschrokken is.

Nee, die Michael, die mag ze niet.

De Shetlands zijn dan misschien een stipje in de oceaan, als je er met een auto rijdt, is het toch behoorlijk groot. De heuvels zijn groen en overal lopen schapen. Af en toe ziet Merel een weiland vol kleine pony's.

'Echte Shetlanders,' zegt oom Peter. 'We hebben er zelf ook vier. Die zul je vanmiddag wel zien.'

Eindelijk passeren ze het bordje HILLSWICK. Dat is de stad waar oom Peter woont. Tenminste, zo had Merel het zich voorgesteld. Maar Hillswick is geen stad, het is niet eens een dorp. Er zijn een paar stenen huisjes met een haventje erbij. Achter die haven blikkert de oceaan. En op de heuvel staat het huis van oom Peter. Het is een – ja, wat is het?

Het is groot, belachelijk groot boven de kleine, grijze huisjes van het vissersdorp. En het is helemaal van hout. Dat is ook bijzonder, in dit land zonder bomen. En het is ook nog eens een hotel.

'*Saint Magnus Bay Hotel*,' zegt oom Peter trots. 'Meer dan honderd jaar geleden gebouwd, met hout uit Noorwegen. En nu is het van ons.'

Ze rijden naar de ingang. De grote deur gaat open en twee honden stormen naar buiten. Blaffend springen ze om de auto heen. Een kleine vrouw komt erachteraan. Ze heeft een lachende mond en net zulk rood haar als haar zoon. Tante Tanya.

'*Down*, Laurel,' zegt ze. '*Down*, Hardy.'

'Laurel en Hardy,' vraagt Melle. 'Dat zijn toch die dikke en die dunne van die ouderwetse lachfilmpjes?'

'Vonden we leuk,' zegt oom Peter.

De honden liggen nu *down*: plat op de grond. Ze kwispelen alsof hun staart eraf moet. Michael is al uitgestapt. Hij aait de honden even over hun kop. Dat is het eerste aardige wat Merel hem ziet doen. Daarna verdwijnt hij in het hotel.

Merel opent de autodeur en stapt ook uit. De honden kijken haar nieuwsgierig aan.

'Hai, Laurel en Hardy,' zegt ze.

'En hai, Merel en Melle,' zegt tante Tanya. 'Kom, de soep is... *ready*.'

Ze heeft een zwaar Engels accent, maar dat klinkt wel leuk. Een beetje alsof ze zingt, vindt Merel. En ze ziet er ook uit als een zangeres. Met die lange haren en die bloemen op haar bloes. Vreemd dat zo´n vrolijke tante zo'n nare neef heeft gekregen...

Tante Tanya geeft haar en Melle een arm en samen lopen ze de trap naar de voordeur op. Laurel en Hardy springen om hen heen. Oom Peter draagt de koffers naar binnen.

Alles aan het hotel is groot. Eerst komen ze in een hoge hal. Daar is een brede trap naar boven. Aan de wanden hangen schilderijen en oude foto's, bijna allemaal van de zee. Oom Peter gaat hen voor naar een grote zaal. Er staat een biljart in het midden. Een Engels biljart, met gekleurde ballen en overal gaten in de rand.

'Gaaf,' zegt Melle.

'Speel je?' vraagt oom Peter.

'Ja,' antwoordt Melle.

'Niet,' zegt Merel streng. 'Je hebt nog nooit gebiljart.'

'Op internet,' zegt Melle.

Oom Peter lacht. 'Michael zal het je wel leren.'

Dat klinkt een beetje dreigend, vindt Merel. Ze wil helemaal niks van Michael leren. Maar Melle begint blij te knikken.

Wat is dat toch met jongens? Waarom snappen die niks van andere mensen? Melle ziet toch ook dat er iets vreemds is aan Michael? Dat moet hij toch vóélen? Maar Melle lacht en babbelt alsof er niets aan de hand is.

Achter de zaal is nóg een zaal. Daar mogen Merel en Melle aan een tafeltje gaan zitten. Michael brengt grote kommen tomatensoep en een mand met hompen bruin brood. Voor Laurel en Hardy is er een grote bak hondenbrokken.

Als Michael een kom soep voor Merel neerzet, grijnst hij weer even. En hij opent zijn mond. Hij praat! Hij spreekt zelfs Nederlands! Merel weet niet wat ze hoort.

'Soep van bloed,' sist hij.

Een andere wereld

Oom Peter begint meteen weer te lachen, maar tante Tanya is streng.

'Michael, *stop it*,' zegt ze.

'Let maar niet op hem,' zegt oom Peter. 'Michael maakt graag vreemde grappen. Dat komt door die wipneus van hem.'

Merel neemt een hap soep en gluurt naar haar neef. Ja, hij heeft een wipneus. Maar niet een gezellige. Meer een soort omgekeerde haaienvin.

'Lekker?' vraagt oom Peter. 'Eet maar goed. Straks neemt Michael jullie mee naar onze Shetlanders. Kunnen jullie de omgeving een beetje verkennen. Zorg dus maar dat je wat in je buik krijgt!'

De soep is lekker. Merel eet er twee volle kommen van. Daarna brengt oom Peter haar en Melle naar hun logeerkamer. Het is een klein, houten hok onder het dak. Merel vindt het er meteen gezellig. Hier kan ze best een week wonen!

'Was je geschrokken van Michaels grapje?' vraagt oom Peter.

Merel haalt haar schouders op.

'Hij bedoelt het niet slecht,' gaat haar oom verder. 'Echt niet. Ik zal hem vragen een beetje rustig aan te doen, goed?'

'Voor mij hoeft dat niet,' zegt Melle. 'Ik vind hem wel lachen.'

‘Des te beter. Trek oude kleren aan, want ponylucht blijft heel lang hangen.’

Als oom Peter weg is, vraagt Merel voorzichtig: ‘Wat vind jij van die Michael?’

‘Wel leuk,’ zegt Melle terwijl hij een warme trui aantrekt.

‘Ik vertrouw hem niet. Hij zegt zo weinig. In de auto keek hij me bijna niet aan.’

‘Vind je het gek? Alsof dat zo’n pretje is!’

‘Moet jij zeggen!’

Melle trekt de rits van zijn oude spijkerbroek dicht en stapt de gang op.

‘Je moet niet zoveel nadenken,’ zegt hij over z’n schouder. ‘We gaan ponyrijden. En ponyrijden vinden alle meisjes leuk.’

Merel doet er wat langer dan haar broer over om geschikte kleren te vinden. Als ze beneden komt, is Melle aan de telefoon. Met mama, dat hoort Merel meteen.

‘Hier is Merel,’ zegt hij. ‘Wil je die ook even?’

Hij geeft haar het toestel.

‘Hoi mam.’

‘Dag lieverd,’ zegt mama. ‘Ik heb al gehoord dat alles goed is gegaan. Vind jij het ook leuk? En is Michael een beetje aardig voor jullie?’

Daar ga ik niks over zeggen, denkt Merel. Anders gaat mama zich zorgen maken. Maar liegen wil ze ook niet.

‘We gaan met hem ponyrijden,’ zegt ze dus maar.

‘O, wat heerlijk! Ga dan maar gauw. En we gaan niet elke dag bellen, hoor. Dat is veel te duur. Bel maar als je er een keer zin in hebt.’

'Dag mam.'

'Dag lieverd. En iedereen de groetjes, hè!'

Ze vinden Michael in de wei achter het hotel. Hij heeft drie pony's gezadeld. Als hij Merel en Melle ziet aankomen, grijnst hij breed.

'Hebben jullie al gereden?' vraagt hij.

'Nee,' zegt Merel. 'Hoe kan dat nou. We zijn er net!'

Het klinkt een beetje kattig, dat hoort ze zelf ook. Maar Michael lacht.

'Thuis, bedoel ik,' zegt hij. 'In Holland.'

Merel bekijkt hem nog eens goed. Hier buiten, in de zon, lijken zijn ogen wel te lachen. En zijn neus lijkt ook niet meer op een haaienvin.

Vergist ze zich in Michael?

'Hier, links opstappen,' zegt Michael.

Hij pakt Merel om haar middel en tilt haar op de pony. Sterke armen heeft hij.

Als Merel zit, helpt Michael Melle met opstijgen. Dat geeft Merel de kans om te wennen. Ze heeft nog nooit op een pony gezeten. Het is raar, zo'n bewegend lijf onder je. Maar ze krijgt wel lekker warme knieën.

'Hoe heet de pony eigenlijk?' vraagt Merel.

'Jouw pony is Ringo,' zegt Michael. 'Melle heeft John en ik Paul. En we hebben ook nog een George, maar die is een beetje te oud.'

'Gekke naam, Ringo,' zegt Melle.

'Ken je niet? Het zijn de Beatles.'

Wat een vreemde gewoonte, denkt Merel. Laurel en Hardy, de Beatles...

'Vonden we leuk,' zegt Michael, alsof hij haar gedachten raadt.

Hij springt behendig op zijn eigen pony en laat zien hoe je het dier kunt sturen. Je drukt je hiel in zijn zij en trekt zachtjes aan de teugels.

'Niet te veel doen,' zegt hij. 'De pony's weten het zelf heel goed.'

Hij klakt met zijn tong en daar gaan ze, stapvoets de wei uit en meteen omhoog de heuvel op. De zon schijnt, maar warm is anders. Het is ook al oktober natuurlijk. De wind die van de oceaan komt, is behoorlijk koud. Merel is blij dat Ringo zo lekker warm is.

Even later zijn ze boven op de heuvel. Een stenig pad leidt naar een vuurtoren. Het witte gebouw staat eenzaam op een hoge rots. Er is een hoog hek omheen, waar Michael de pony's aan vastbindt. Hij helpt Merel en Melle met afstijgen.

'En nu stil zijn,' zegt hij geheimzinnig.

Voorbij de vuurtoren is een muurtje waar Merel net overheen kan kijken. Erachter is een diepe kloof. Minstens vijftig meter lager kolkt het water van de zee rond de rotsen.

Maar daar gaat het niet om. Michael wijst naar een stuk steen dat uit de rots naar voren steekt. Daar zitten twee vogels. Kleine, zwarte dieren die een beetje op pinguïns lijken. Hun snavel is het meest bijzonder. Die heeft bijna alle kleuren van de regenboog.

'*Tammie nories*,' zegt Michael. '*Puffins*. Ik weet niet de Nederlandse naam.'

'Ik weet het,' roept Melle. 'Papagaaidingessen. Iets met papegaai...

'Duikers,' zegt Merel. 'Papegaaiduikers.'

Ze herinnert zich opeens dat ze de diertjes een keer in een boek heeft gezien. Of was het op tv?

Één van de vogels vliegt weg. Of nou ja, echt vliegen is het niet. Hij laat zich van de steen naar beneden vallen, de kloof in. Pas na heel veel gewapper met zijn kleine vleugels lukt het hem om op gang te komen. Merel moet erom lachen.

'Mooi hè,' zegt Michael. 'En de eieren smaken nog goed ook. Maar die zijn er pas weer in de lente.'

Dan wijst hij in de verte, waar de eindeloze zee zich uitstrekt.

'Zie je?' vraagt Michael. '*Orcas. Killer whales!*'

'Orka's,' zegt Melle. 'Dat zeggen wij ook.'

Merel ziet de orka's niet echt, maar hun rugvinnen snijden wel duidelijk door het water. Op en neer, in een sierlijke dans.

'Hieronder is nog een verrassing,' zegt Michael. 'Maar die kunnen we nu niet zien. Morgen, als we naar de zee gaan.'

Vreemd, denkt Merel. Dit lijkt wel een heel andere wereld. De pony's, de vogels, de walvissen – en dan die vreemde neef. Ze vertrouwt hem nog steeds niet helemaal. Maar ze begint toch een beetje aan hem te wennen.

Ze haalt diep adem. Dit is een avontuur, denkt ze. Een vreemd avontuur met een vreemde neef. Maar misschien wordt het toch leuk.

En vreemde neven horen er nou eenmaal bij.

Da haaf

Het is heel vroeg in de ochtend als Merel en Melle met Michael naar de haven lopen. Hij heeft een eigen boot. Het is een vissersscheepje en het heet *Anna Pink*. Vanaf het dek kun je met een smalle trap op het dak van die kajuit klimmen. Daar staat een bankje.

'Wat is dat voor een naam?' vraagt Melle.

'Van een boek,' zegt Michael. 'Vond ik...'

'Leuk,' roept Melle.

Merel en Melle springen van de steiger op het dekje. Laurel en Hardy blijven achter. Michael start de motor en stuurt zijn boot de baai in.

Merel kijkt achterom. Aan de kade staan wat grijze, stenen huizen, daarachter liggen een paar boerderijen. Links staat een oud landhuis op een heuvel en aan de andere kant ziet ze de grote, houten gevel van het *Saint Magnus Bay Hotel*. Meer is het plaatsje Hillswick niet.

'Het is niet veel,' zegt Michael. 'Maar het is thuis.'

Merel kijkt naar hem. Ze begint aan hem te wennen. Vanochtend bij het ontbijt heeft ze zelfs om hem gelachen. Dat was toen Michael zei dat Melle leek op het gebakken ei op zijn bord.

'Gaan we vissen?' vraagt Melle.

'*Yep*,' zegt Michael. 'Heb je dat ook op internet geleerd?'

Melle wordt rood. Hij schuift zijn bril wat vaster op zijn neus en kijkt uit over het water. Merel giechelt.

'Het is leuk om veel Nederlands te praten,' zegt Michael. 'Maar het is ook, wat is het, moeilijk. Ik heb veel te denken.'

'Het gaat heel goed, hoor,' zegt Merel. 'Ik vind het knap.'

Michael lacht. Het bootje vaart langs een heuvel en daarachter ligt de oceaan. De Atlantische Oceaan is niet blauw, zoals Merel altijd heeft gedacht. Hij is grijs en oneindig groot. Er vliegen wat meeuwen boven, maar verder is de wereld leeg. Michael geeft meer gas. Het bootje tilt de voorplecht uit het water en vaart dapper de leegte in.

'*Da haaf*,' zegt Michael. 'Dat zeggen we op Shetland als we diep water bedoelen. De oceaan. Hier zullen we vissen.'

Michael haalt drie hengels uit de kajuit. Merel en Melle krijgen er allebei eentje. Er zit een lange lijn aan, met om de meter een haak.

'Laat gaan,' zegt Michael. 'Kijk, zo.'

Hij gooit de lijn overboord. Meteen begint die te zakken, de haken ratelen over het molentje dat aan de hengel zit.

'Vinger erop,' zegt Michael. 'Het moet niet snel.'

Merel probeert hem na te doen. Ze gooit de lijn overboord en houdt haar vinger tegen het molentje. Dat is lastig, je moet goed oppassen voor de haken. Maar het lukt wel. De molen draait en draait en de lijn zakt steeds dieper in de zee.

'Hoe diep is het hier?' vraagt Melle.

'Bijna honderd meter,' zegt Michael.

Merel kijkt over de rand van de boot. Honderd meter

diep! Zo diep als de hoogste kerktoren lang is... Wat zou er allemaal rondzwemmen in de diepte? Orka's, walvissen – haaien misschien? Ze doet snel een stapje achteruit.

'Moet er geen aas aan de haken?' vraagt ze.

Michael schudt zijn hoofd. 'Het is *mackerel*, makreel. Die bijten alles.'

De molentjes stoppen met draaien. Het einde van de lijn ligt dus op de bodem van de zee. En honderd haken staan daarboven, rechtop in het water. Merel kan de bovenste tien of elf zien, zo helder is de oceaan.

'Indraaien,' zegt Michael.

Dat is een raar woord, maar Michael laat meteen zien wat hij bedoelt. Hij draait aan het molentje om de lijn weer omhoog te halen.

Merel doet hem na, maar het is best zwaar. Zou dat van de haken komen, of heeft ze al een vis gevangen? Melle in elk geval wel. Hij gilt het uit.

'Ik heb wat! Ik heb wat!'

Aan een van de haken spartelt een kleine, grijsgestreepte vis. Michael grijpt het dier beet en rukt het in één keer los.

Merel schrikt ervan. Zo'n haak moet je toch voorzichtig uit de lip halen? Ze durft er niets van te zeggen. Michael gooit de vis in een vieze emmer die op de bodem van de boot staat.

Merel draait zich weer naar haar eigen hengel. Ze heeft alle kracht nodig om de lijn boven water te krijgen. En al snel ziet ze ook hoe dat komt. Ze heeft wel vier, nee zelfs vijf vissen gevangen!

'*Good girl!*' roept Michael.

Met snelle bewegingen rukt hij de dieren los. Ze verdwijnen allemaal in de emmer, met hun bloedende bekken. Merel wordt een beetje misselijk. Maar Michael staat zo vrolijk te grijnzen dat ze nog steeds niets zegt.

Als alledrie de lijnen binnen zijn, liggen er dertien vissen in hun eigen bloed. Ze happen naar lucht en klappen wat met hun staart. Merel kan er niet goed naar kijken.

'Hebben ze pijn?' vraagt Melle.

Michael haalt zijn schouders op. 'Wie weet. Maar wacht...'

Hij trekt een zakmes uit zijn broekzak en hurkt bij de emmer neer. Hij pakt de vissen een voor een beet en snijdt ze de keel door.

'Nu gaat het sneller,' zegt Michael. 'Beter, ja?'

Merel voelt een golf van misselijkheid omhoogkomen. Snel draait ze zich om en klimt op het dak van de kajuit. Vanaf het bankje heeft ze een mooi uitzicht op de oceaan en de rotskust in de verte.

'Ik wil niet meer vissen,' zegt ze.

'Dat is goed,' zegt Michael. 'Want we gaan iets bijzonders zien.'

En hij lacht nog maar eens een keer.

Maar Merel kan niet teruglachen. Ze voelt zich opeens weer net als gisteren, in de auto. Ze heeft zich niet vergist. Michael is een dierenbeul. Hij is écht niet te vertrouwen.

Met z'n bloedsoep!

Selkies

Michael stuurt zijn bootje terug naar de kust. De kliffen zijn hoge rotsen van rood steen. Merel ziet een kleine, witte vuurtoren helemaal bovenaan. Hij steekt af tegen de grijze wolken erachter. Merel herkent hem meteen. En daarnaast ziet ze de kloof met de papegaaiduikers.

Uit de zee vóór hen steken hier en daar vervaarlijke rotspunten omhoog.

'Waar gaan we heen?' vraagt Melle.

'Naar mijn geheime strand,' zegt Michael. 'Gewoon wachten.'

Voorzichtig stuurt hij tussen twee rotsen door. De *Anna Pink* danst op de golven. Witte schuimvlokken waaien over het dek.

'Ik word nat!' gilt Merel.

'Goed,' zegt Michael.

En daar moet Melle natuurlijk weer om lachen.

Voorbij de rotsen is het water rustiger. De golfjes spoelen rustig over een kiezelstrand. Het is een klein strand dat alleen via het water te bereiken is. Aan alle kanten zijn steile rode rotsen.

Op de kiezels liggen wat grijze zakken, ziet Merel – of nee, het zijn geen zakken. Ze bewegen! Het zijn zeehonden!

'*Selkies*,' zegt Michael met een lach.

Merel heeft al eerder zeehonden gezien. Dat was in

ANNA PINA

Nederland, in de Waddenzee. Maar deze dieren lijken wel groter, en ze zijn ook veel dichterbij.

Michael zet de motor uit. Het bootje dobbert nu doodstil op de golfjes. De zeehonden kijken even op, maar blijven rustig liggen.

'Dit is een veilig strand om kleintjes te krijgen,' legt Michael uit. 'Niemand kan er komen. Alleen met een kleine boot.'

Een grote zeehond hobbelt op zijn buik het strand af. Dat is een grappig gezicht; net een baby die nog niet kan kruipen. Eenmaal in het water is hij veel sneller. Hij zwemt langs de boot en steekt eventjes nieuwsgierig zijn kop uit het water.

Michael doet net alsof hij een geweer tegen zijn schouder zet en op het dier richt.

'*Bang!*' roept hij. 'Goed eten!'

Getver! denkt Merel. Opeens wil ze weer weg. Terug naar huis. Al die grappen over bloed en dood – ze wordt er naar van. Zouden alle Shetlanders zo zijn?

'Je mag ze toch niet doodschieten?' vraagt Melle.

'Nee,' zegt Michael. '*Selkies* zijn, uh, hoe heet... *protected*.'

'Beschermd,' knikt Melle. 'Je mag er niet op jagen.'

'Jammer hè,' zegt Michael.

Merel kijkt weer naar het strand. Helemaal achteraan, tegen de rotsen, ziet ze iets bijzonders. Ze knijpt haar ogen dicht. Ja, het is echt zo. Daar liggen er nog meer. Twee zeehonden met helderwitte buiken?

Michael klimt het trapje op. Hij geeft Merel een verrekijker.

'Moeder,' zegt hij. 'Kijk.'

Merel houdt de verrekijker voor haar ogen. Het duurt even voor ze hem heeft scherp gesteld. Maar dan ziet ze wat Michael bedoelt. Het zijn geen twee zeehonden, het zijn er drie! Een groot moederdier met twee spierwitte kleintjes, dicht tegen zich aan.

Maar hoe kan dat? Het is herfstvakantie! Babydieren worden toch altijd in de lente geboren?

Alweer is het net of Michael Merels gedachten kan lezen.

'Selkies hebben baby's in oktober,' zegt hij. 'Na de winter zijn ze groot.'

Melle klimt ook op de kajuit.

'Laat eens kijken?' zegt hij.

Merel geeft hem de verrekijker. De moederzeehond begint te bewegen. Ze hobbelt naar de waterlijn. Haar kindjes blijven achter op het strand.

'Gaat ze weg?' vraagt Merel.

'*Selkies* zijn rare beesten,' zegt Michael. 'Ze zorgen niet goed voor hun baby's. Ze laten ze heel vaak alleen.'

'Dat is zielig,' zegt Merel.

'Wat is "zielig"?' vraagt Michael.

Ja, hoe moet je dat nou uitleggen. Merel weet het zo gauw niet.

'Ze zijn heel klein,' zegt Melle. 'En alleen. Ze weten nog niks. En hun moeder helpt ze niet. Dat is zielig.'

'*Okay*.' Michael knikt. 'Ik begrijp. Maar het is niet zielig. Het is wat *selkies* doen. Het is de natuur.'

De moederzeehond is in de oceaan verdwenen. Haar kleintjes, op het strand, piepen een beetje. Het lijkt wel op

kindergehuil. Merel vindt het heel naar klinken. Opeens weet ze ook weer hoe baby-zeehonden heten: huilers. Nu begrijpt ze waarom. Wat zielig!

'Gaan we nog wat vissen?' vraagt Michael.

Melle wil wel, maar Merel heeft geen zin meer. Ze denkt na over de natuur, over de kleine zeehonden. En over Michael. Vissen van de lijn rukken en dan de keel doorsnijden, zodat ze spartelen in hun eigen bloed. Is dat ook niet zielig? Is het wat Shetlanders nou eenmaal doen, net zoals de zeehonden hun kindjes alleen laten?

Michael draait de boot en vaart terug naar open zee. In de verte vaart een enorm schip voorbij.

'Olietanker,' zegt Michael. 'Van de terminal. Willen jullie die zien?'

'Wat is een terminal?' vraagt Melle.

'Er is veel olie in de Noordzee,' legt Michael uit. 'Die halen we naar boven met boorplatforms. En al die olie komt hier aan land.'

Hij keert de boot naar het noorden. Merel voelt de zon op haar rug schijnen.

'Het is niet heel ver,' zegt Michael. 'Juist om de hoek.'

Tweelingen

Maar natuurlijk is het wél ver. Eerst vaart de *Anna Pink* een heel eind naar het noorden. Daarna draait ze naar rechts, richting het oosten. Merel en Melle zitten op het dak van de kajuit en kijken naar de rode rotsen.

In het schuim achter het bootje duiken meeuwen naar kleine visjes. Eén keer roept Michael: 'Walvis!' en hij wijst in de verte. Maar Merel ziet alleen een vage, grijze vlek aan de horizon.

Als ze bijna bij de terminal zijn, komen ze nóg een olietanker tegen. Deze keer varen ze er vlak langs. Een enorm schip is het. Een man gaat op de fiets van de ene naar de andere kant. Merel moet erom lachen.

'Fietsen op een schip!' roept ze.

'Watertrappen!' zegt Melle.

Dat grapje begrijpt Michael niet en Melle doet het voor. Hij trappelt met zijn voeten en steekt twee vingers op.

Het ziet er grappig uit. Merel en Michael schieten allebei in de lach. Michael haalt zijn schouders op.

Dan varen ze een smalle baai binnen. Aan de rechterkant zijn de bergen grijs en hoog, links ziet Merel de groene heuvels die ze nu al zo goed kent. Maar nu staan er wel zes enorme, witte olietanks langs de waterlijn. En daarvóór steken grote aanlegsteigers de zee in. Overal lopen buizen en pijpleidingen.

'Wat is het hier ontzettend lelijk!' zegt Merel.

Michael moet erom lachen.

'Lelijk, misschien,' zegt hij. 'Maar hier maken we ons geld.'

'Hoe kan je nou geld maken van olie?' vraagt Melle.

'Door het te verkopen,' zegt Michael.

'Hij bedoelt verdienen,' fluistert Merel. 'Niet geld maken, geld verdienen.'

Michael legt het uit. De mensen van Shetland kunnen niet alleen leven van vissen en schapen houden. En toeristen komen er ook niet genoeg. De eilanden liggen te ver weg en het is vaak slecht weer. De olieterminal is hard nodig, anders zouden ze op Shetland heel arm zijn.

'Maar het is wel lelijk,' moppert Merel nog een keer.

'Ik ga er ook werken,' zegt Michael. 'Later.'

De zon staat laag boven de bergen in het westen en is bloedrood.

'De zon is net mijn soep,' zegt Michael met een lach. 'Bloedsoep in de lucht. Het is al laat. We moeten terug naar Hillswick.'

'Kunnen we nog bij de zeehonden langs?' vraagt Merel.

'Als je wil,' zegt Michael.

De terugweg lijkt veel sneller te gaan. Dat heeft Merel al eens eerder gemerkt. Misschien komt het doordat op de heenweg alles nieuw is. Je weet niet wat er nog komt en hoe lang dat duurt. Als je teruggaat, heb je het al eens gezien en gaat de tijd sneller. Vreemd, maar waar.

Het strand achter de rotsen is voller dan eerst. De zeehonden verzamelen zich om met z'n allen te gaan slapen. Merel ziet dat de moeder terug is bij haar kleintjes. Gelukkig!

'Gezellig, met z'n allen,' zegt Melle.

'Gezellig,' herhaalt Michael. 'Dat is een mooi Nederlands woord. Maar *selkies* zijn niet gezellig. Ze doen nooit iets samen. Ze kijken niet eens naar elkaar.'

'Maar ze maken wel baby's,' zegt Merel.

Michael lacht.

'Omdat het moet van moeder natuur,' zegt hij.

'Welterusten, mama met je kindjes,' zegt Merel. 'Word maar gauw groot allebei.'

'Niet allebei.' Michael schudt zijn hoofd. 'Eentje moet doodgaan.'

Wat? denkt Merel. Wat zegt hij nou weer, die rare jongen? Waarom moet er een zeehondje dood?

'*Selkies* houden niet van uh, hoe heet dat, twee kinderen,' legt Michael uit. '*Twins*.'

'Tweelingen,' roepen Merel en Melle tegelijk.

'Tweelingen, ja. Een *selkie*-moeder kan niet zorgen voor tweelingen. Ze laat eentje doodgaan.'

Dat kan toch niet waar zijn!

Merel kijkt naar Melle. Hij staart naar de twee witte beestjes op het strand.

Hij denkt na, ziet Merel. Dus hier schrikt Melle toch ook van.

'Eentje gaat dood,' gaat Michael verder. 'Die is dan voer voor de meeuwen en de kraaien. Dat is ook goed.'

Goed? Niks goed! Zo'n klein zielig piepend zeehondje! Merel krijgt tranen in haar ogen van boosheid. Op de zeehonden, op moeder natuur – maar vooral op Michael, die alles maar normaal vindt. Terwijl het juist heel gemeen is allemaal!

'Michael is een rotjongen,' sist Merel in haar broertjes oor.

Melle haalt zijn schouders op.

'Misschien heeft hij gelijk.'

'Natuurlijk niet!'

'Maar het is wél natuurlijk.'

Daar moet Merel over nadenken.

Michael stuurt de *Anna Pink* weer tussen de rotsen door de oceaan op. Nu is het nog maar een klein stukje. Ze varen om de punt van de heuvel heen en terug naar de haven van Hillswick.

Maar als ze daar bijna zijn, stuurt Michael opeens een andere kant op. Ze varen naar een eilandje een eindje vóór het dorp. Het is alleen maar één grote heuvel, zo lijkt het.

'Dit is speciaal,' zegt hij. 'Heel speciaal. Een eiland met een *broch*.'

Een *broch* is een prehistorisch kasteel, dat heeft Merel onthouden. Ze zoekt met haar ogen de heuvel af, maar er is niets te zien.

'Helemaal bovenop,' zegt Michael. 'Het is een ruïne.'

Tussen twee rotsen ligt een steigertje. Michael zet de motor van zijn boot af en grijpt een paal vast. Hij trekt het scheepje naar de kant.

'Ga maar kijken,' zegt hij. 'Er is nog tijd.'

Merel en Melle klimmen van de kajuit af. Ze stappen over de rand van de boot de steiger op.

'Gewoon omhoog?' vraagt Melle.

'Ja,' antwoordt Michael.

En dan doet Michael iets raars. Hij duwt de boot af. Moet hij hem soms draaien? Nee.

Merel kan het bijna niet geloven. Michael start de motor en vaart weg.

'Hé!' roept Melle.

Hij rent terug, de steiger op.

'Michael, wacht!'

Maar hun neef vaart gewoon door.

'Tot ziens!' roept hij. 'Veel plezier!'

Alleen

'Wat doet hij nou!' roept Merel.

Melle staat als versteend. Met grote ogen kijkt hij de *Anna Pink* na.

'Kom terug!' gilt Merel. 'Michael, dit is niet leuk!'

Maar Michael zwaait alleen nog even. Hij zet koers naar de haven van Hillswick. De overkant is zo dichtbij dat Merel de honden Laurel en Hardy op de steiger ziet staan.

'Dat rotjoch!' zegt Melle. 'Hij laat ons gewoon achter.'

'Misschien is hij boos,' bedenkt Merel. 'Omdat ik de zeehonden zielig vond.'

'Die zijn toch ook zielig,' zegt Melle.

Ze weten allebei even niks meer te zeggen. De zon is bijna in de oceaan verdwenen. Een warm, rood licht scheert over de golven. Het weerkaatst in de ruiten van de huizen langs de kade in de verte. Laurel en Hardy blaffen. Die hebben zeker de emmer met bloederige makrelen ontdekt.

'Hij komt vast wel terug,' zegt Melle ten slotte.

Merel gelooft er niets van. De *Anna Pink* ligt in de haven. Michael heeft de boot zelfs al vastgelegd. Hij pakt de bloedemmer en loopt de steiger af. De honden springen om hem heen.

'Hij kijkt niet eens naar ons,' zegt ze boos. 'Wat moeten we doen? We kunnen toch niet gaan zwemmen?'

'Natuurlijk niet, gek,' zegt Melle. 'Dit is geen bosmeertje, dit is de oceaan. Het water is steenkoud! Nee, we moeten de heuvel op klimmen. Dan kunnen ze ons zien vanuit het hotel. Oom Peter komt ons wel halen.'

Dat is het beste plan. Merel loopt achter haar broertje aan omhoog. Haar hoofd zit vol boze gedachten. Want het kán toch niet, twee kinderen op een eiland achterlaten, helemaal alleen? In een vreemd land nog wel!

De heuvel wordt steeds steiler. Het valt niet mee om er tegenop te klimmen. Het gras is nat. Merel moet zich vastgrijpen aan varens en struikjes om niet steeds terug te glijden. Melle is al een flink stuk hoger.

'Nou, Michael is in elk geval geen leugenaar,' hoort Merel hem roepen. 'Hier is een ruïne!'

Het duurt even voor Merel ziet wat hij bedoelt. Bovenop de heuvel is een ronde muur van opgestapelde stenen. De muur is ongeveer een meter hoog, maar er is wel een soort deuropening in – zo smal dat Merel en Melle er maar net doorheen kunnen kruipen.

'Welkom in het kasteel,' zegt Melle.

Ze kijken om zich heen. Er is niet veel te zien. De ronde muur en een paar grote stukken steen die vroeger misschien iets geweest zijn. Het lijkt niet echt op een kasteel.

Merel voelt zich niet prettig. Dit is een eenzame plek, al eeuwen oud.

'Vroeger hebben hier mensen gewoond,' zegt ze.

'Misschien is er wel gevochten,' zegt Melle. 'Of zijn er andere erge dingen gebeurd. Dit zijn de Shetlands. Alles is hier normaal, al is het nog zo gemeen of zielig.'

Waren papa en mama maar hier, denkt Merel. Dan was het heel anders geweest. Papa had iets verteld over vroe-

ger, of een grapje gemaakt. Voor het eerst sinds ze gisterochtend in het vliegtuig stapte, heeft Merel heimwee. Thuis is zo verschrikkelijk ver weg!

Hoog boven de heuvel krijst een meeuw. Merel krimpt in elkaar van schrik en ze grijpt Melles arm vast. Die lacht haar gelukkig niet uit. Hij is zelf ook geschrokken.

'Niet erg gezellig,' zegt Melle. 'Kom, we gaan kijken of we het hotel kunnen zien.'

Snel kruipen ze weer naar buiten. Twee nieuwsgierige schapen wachten hen bij de uitgang op.

Dat is raar, denkt Merel. Schapen! Waar komen die nou vandaan, op een onbewoond eiland?

Melle heeft een rotsblok gevonden waar hij met wat moeite op kan klimmen. En dan begint hij te lachen.

'Wat is er?' vraagt Merel.

'Kom maar kijken,' roept Melle.

Merel klimt ook omhoog. En dan ziet ze wat Melle bedoelt. Het eiland is geen eiland. Het is gewoon een landtong. Net voorbij het rotsblok begint een pad dat rechtstreeks naar het hotel leidt.

'Een geintje.' Melle grinnikt. 'Een geintje van onze neef met zijn rare humor.'

Merel is verschrikkelijk opgelucht. Maar lachen, zoals Melle, doet ze niet. Een rotgeintje, dat is het. Een rotgeintje van een rotneef.

De schrik zit nog in haar benen. Om die kwijt te raken springt Merel van het rotsblok en begint te rennen. Zo snel ze kan, dendert ze de heuvel af. Even later loopt ze al achter de huisjes van Hillswick langs.

'Kan dat niet rustiger,' hijgt Melle achter haar.

Het is al bijna donker als Merel en Melle bij de grote voordeur van het hotel aankomen. Het water in de baai weerkaatst het eerste maanlicht. Uit de ramen van het hotel stroomt een gele gloed over het grasveld. Michael is nergens te zien.

Natuurlijk niet, denkt Merel. Ze is nog steeds boos. Laurel en Hardy scharrelen rond op het pad. Ze likken aan plasjes bloed. Die zijn natuurlijk over de rand van de emmer met makrelen geklotst. Merel wordt alweer een beetje misselijk.

'Vanavond eten we vis,' zegt Melle.

'Die vieze bloedvis?' Merel rilt. 'Ik niet, voor geen goud.'

Ze stappen naar binnen. In de hal komen ze oom Peter tegen. Hij is bezig zijn jas aan te trekken.

'Ik wilde jullie net gaan halen,' zegt hij. 'Maar ik zie dat jullie zelf de weg gevonden hebben.'

'Wat een rotgrap,' zegt Merel.

'Het is een traditie,' zegt oom Peter terwijl hij een lange grijze lok uit zijn ogen veegt. 'Nieuwe gasten worden altijd een keer achtergelaten bij de *broch*. En jullie zijn geslaagd. Nu zijn jullie echte Shetlanders. Gefeliciteerd.'

Echte Shetlanders! Moet ze daar blij mee zijn? Maar Melle lacht. Hij vindt het zeker wel stoer.

'Wat eten we vanavond?' vraagt hij. 'Makreel zeker?'

'Helemaal niet!' roept oom Peter. 'Ik heb al veel te veel makreel gegeten in mijn leven. Tante Tanya is hamburgers aan het bakken. Maar als jullie liever makreel willen...'

'Nee!' gilt Merel.

Ze loopt de grote zaal binnen. En daar is Michael, bij het

biljart. De ballen liggen al klaar in een keurig driehoekje.

'Sorry,' zegt hij met zijn allerbreedste glimlach. 'Wil je spelen?'

'Mij best,' zegt Melle.

Maar Merel schudt resoluut van nee.

'Ik ga naar mijn kamer,' zegt ze, zo luid dat een paar hotelgasten in de zaal verbaasd opkijken. 'Ik ga lezen. Ga jij maar biljarten, Melle. Veel plezier met je grappige neef.'

Melle kijkt niet eens naar haar. Hij heeft een keu gepakt. Hij stoot de witte bal zo hard tegen de gekleurde ballen dat er drie over de rand vliegen. Ze stuiteren over de houten vloer.

'Kalm aan,' zegt Michael. 'Het is geen honkbal...'

Ontbijt met witte bonen

Als Merel wakker wordt, merkt ze meteen dat het heel ander weer is dan gisteren. De wind giert om het hotel. De houten wanden kraken en ergens klappert een luik. En ze vóélt het ook, in haar buik. Het zijn die rare, onrustige kriebels die ze altijd krijgt als het stormt.

Hoe laat is het? Merel kan zo gauw geen klok vinden. Ze schuift de gordijnen een stukje open. De hele wereld is nog donker. Het zou beter zijn om zich om te draaien en door te slapen. Maar ze weet dat dat niet lukt, met al die herrie buiten. Bovendien moet ze naar de wc.

Ze knipt het licht aan en kijkt naar Melle. Die slaapt natuurlijk nog als een os. Hij snurkt zelfs. Op zijn nachtkastje staat een wekker. Vijf uur. Het is nog bijna midden in de nacht!

Waar was de wc ook alweer? O ja, op de gang. Als Merel de kamerdeur opendoet, hoort ze muziek van beneden komen. Er is dus al iemand wakker. Goed, eerst plassen en dan kijken wie er al op is.

Het is tante Tanya. Ze is eieren aan het bakken in de keuken. Merel krijgt meteen trek.

'*Good morning, darling*,' zegt tante Tanya vrolijk.

'Ja, ook *good morning*,' zegt Merel.

'*Hungry?*'

Dat klinkt als 'honger', dus dat zal het ook wel betekenen. Merel knikt blij. Tante Tanya legt twee witte boterhammen op een bord.

‘Nee, nee, niks ervan!’ roept oom Peter die de keuken binnenloopt. ‘Je krijgt niks, Mereltje. We gaan in de stad ontbijten.’

Merel kijkt blijkbaar zo teleurgesteld dat oom Peter in de lach schiet.

‘Goed dat je al zo vroeg op bent,’ gaat hij verder. ‘Het is rotweer, dus we kunnen het beste naar Lerwick vandaag. Ik moet toch nog wat spulletjes kopen. Ga je broer maar halen. We vertrekken over een kwartier.’

Het is jammer, de eieren ruiken heerlijk. Maar een dag naar de stad is ook leuk! Dan hoeven ze tenminste niet met Michael op stap.

Merel rent de trap op en schudt Melle wakker.

‘Wat is er?’ mompelt hij. ‘Staat het hotel in de fik?’

‘We gaan naar Lerwick,’ zegt Merel. ‘Kleed je aan, oom Peter staat te wachten.’

Melle doet zijn ogen open.

‘Het is midden in de nacht!’ zegt hij. ‘En het waait.’

‘Daarom juist. Opschieten!’

Melle slaat zijn dekbed terug en staat moeizaam op.

‘Als je maar niet denkt dat ik gezellig ga winkelen,’ moppert hij.

‘We gaan eerst ontbijten.’

‘Nou, goed dan.’

Tien minuten later zitten Merel en Melle achter in de auto. Tante Tanya zwaait hen uit vanachter een van de grote ramen.

‘Grappig hè,’ zegt oom Peter. ‘Het waait heel hard, maar dat kun je nergens aan zien. Omdat er geen bomen zijn.’

Merel kijkt naar de baai in de diepte.

'Je kunt het zien aan het water,' zegt ze. De golven zijn loodgrijs en hebben schuimende, witte kuiven.

'Goed dat jullie gisteren al hebben gevaren,' zegt oom Peter. 'Vandaag is het niet zo prettig op de oceaan.'

Er zijn nog bijna geen auto's op de weg, en al helemaal geen tractors of vrachtwagens. Oom Peter kan lekker doorrijden. Voor Merel er erg in heeft, zijn ze alweer in de haven van Lerwick. Ze ziet een grote, witte boot waar auto's uit komen rijden: de veerboot uit Schotland.

'Die zullen lekker geschommeld hebben onderweg!' zegt ze.

Oom Peter parkeert de auto in het centrum. Hier is Merel nog niet eerder geweest. De huizen zijn net zo grijs als in Hillswick, maar wel groter. En het zijn er ook veel meer. Bovendien zijn er meerdere kerktorens, ziet Merel.

'Kijk, een kasteel!' Melle wijst. Het kasteel is op een rots gebouwd, hoog boven de oude haven.

'Fort Charlotte,' zegt oom Peter. 'Wisten jullie eigenlijk dat Lerwick door Nederlandse haringvissers is gesticht, 300 jaar geleden?'

'Een Nederlandse stad?' zegt Melle verbaasd.

'Daarom voel ik me hier zo thuis,' zegt oom Peter.

Ze lopen een smal straatje in. De winkels zijn allemaal nog dicht. Alleen in een kaal cafeetje brandt licht.

'Ons restaurant!' roept oom Peter. 'Tijd voor ontbijt!'

Er zitten al wat mensen binnen, maar niet erg veel. Merel ziet dikke kerels met gele broeken aan. Een oud vrouwtje heeft allemaal plastic tasjes op de stoel naast haar.

'Dit zijn de echte Shetlanders,' zegt oom Peter. 'Mannen die in de haven werken. En die mevrouw woont om de hoek. Die komt hier elke ochtend. Ga maar zitten.'

Merel en Melle schuiven op een harde bank achter een plastic tafel. Oom Peter loopt naar een luik in de achtermuur. Daar is de keuken; er komen enorme stoomwolken uit. Al snel is hij terug met drie volle borden.

'Is dit een ontbijt?' vraagt Melle verbaasd.

Op hun bord ligt van alles. Een gebakken ei. Een gebraden worst. Een slappe halve tomaat. Twee sneetjes geroosterd brood. Een kronkelig, hard bruin dingetje dat ruikt naar gebakken spek. En ook nog iets zwarts dat naar ijzer stinkt en waar Merel niet aan durft te komen. En witte bonen in tomatensaus!

'Witte bonen...' zucht Merel. Ze heeft een enorme hekel aan bonen. En zo vroeg in de ochtend al helemaal!

'Ja, goed hè!' roept oom Peter. 'Als je de hele dag zo hard moet werken als die mannen daar, heb je een stevig ontbijt nodig!'

Merel eet haar ei op, en het brood. Ze proeft ook wat van het spek. Dat valt mee. Maar de worst is veel en veel te vet, de tomaat heeft geen smaak en wat dat ronde, zwarte ding nou toch precies is...

'Bloedworst,' zegt oom Peter. 'Gebakken bloedworst. Als je het niet lust, geef maar aan mij.'

'Graag,' zegt Melle met een vies gezicht.

Wat een land, denkt Merel. Bloedsoep, bloedvis, bloedworst...

'Mogen we buiten wachten?' vraagt ze.

Oom Peter knikt met zijn mond vol.

‘Als je dit straatje uit loopt, kom je boven in de grote winkelstraat,’ zegt hij. ‘Ga maar eens kijken waar je straks wilt winkelen.’

Buiten buldert de wind door de steeg. Merel en Melle worden bijna omver geblazen. Dicht langs de huizen lopen ze omhoog.

‘Ik wil helemaal niet winkelen,’ zegt Melle.

Merel heeft wel zin, maar ze ziet geen leuke winkels. In Lerwick verkopen ze alleen laarzen, regenjassen en lelijke dingen van glas. En wollen truien, heel erg veel wollen truien.

‘Brr, kriebeltruien,’ zegt Merel.

‘Rodevlekjestruien,’ zegt Melle.

‘Zullen we teruggaan?’ stelt Merel voor.

En dus gaan ze met oom Peter mee, die spullen voor het hotel moet kopen. In een grote winkel vol potten en pannen.

‘Hé kijk!’ Melle wijst naar de naam van de winkel.

Merel lacht. Een winkel die *Harry* heet. Zoiets kan alleen maar op Shetland.

De opvang

'En,' vraagt oom Peter op de terugweg, 'hoe bevalt het jullie hier?'

'Goed,' zegt Melle. 'Lekker ruig.'

Oom Peter lacht.

'Ja, ruig is een goed woord,' zegt hij. 'En wat vind jij, Mereltje?'

Merel zegt niet meteen iets terug. Ze denkt na. De zeehondjes en de pony's zijn leuk. Dieren en winkels hebben hier grappige namen. En het is best gezellig bij oom Peter en tante Tanya. Maar van sommige dingen is ze geschrokken. Vooral van Michael en zijn bloeddingen – maar kan ze dat zomaar zeggen? Oom Peter is zijn vader tenslotte...

'Het is allemaal heel ánders,' zegt ze uiteindelijk.

'Niet zo netjes als in Nederland.' Oom Peter knikt. 'Ja, daar moest ik ook aan wennen toen ik hier kwam wonen.'

Dat geeft Merel een beetje moed. Haar oom begrijpt wat ze bedoelt.

'Ik vond het vissen niet leuk,' zegt ze. 'Met al dat bloed. En Michael zei dat hij de zeehondjes wilde doodschieten.'

'Maar dat hoeft niet, want die moeder laat ze zelf gewoon doodgaan,' zegt Melle boos.

'En toen kwamen we terug van het eiland dat geen eiland was,' gaat Merel door, 'en toen zei u dat we echte Shetlanders geworden waren. Maar ik weet niet of ik dat wil zijn...'

Ze rijden nu net bovenop de heuvel, hoog boven Lerwick. Oom Peter remt af en zet de auto aan de kant.

'Stap eens uit,' zegt hij.

Het waait zo hard dat Merel de deur bijna niet open krijgt. Alleen met hulp van Melle lukt het. Oom Peter geeft hen allebei een hand en zo staan ze daar. De storm maakt het zelfs moeilijk om adem te halen.

'Kijk eens om je heen,' roept oom Peter.

Ver beneden zich ziet Merel de kolkende zee tegen de kademuren van Lerwick slaan. De schapen schuilen in hoopjes bij elkaar achter grote stenen. Een kleine vissersboot danst op de golven. De meeuwen erachter worden af en toe weggeblazen alsof het veertjes zijn.

'Dit zijn de Shetlands,' roept oom Peter. 'En hier moeten de mensen leven. Snap je?'

Opeens begint het verschrikkelijk hard te regenen. Oom Peter trekt de autodeur weer open. Merel en Melle vluchten naar binnen. Oom Peter duikt terug achter het stuur. Hij grijnst breed.

'De natuur is kei- en keihard,' zegt hij. 'Als de mensen hier zacht zouden zijn, werden ze weggeblazen. Net als wij daarnet bijna. En daarom zijn de Shetlanders zo hard als de rotsen. Ze zijn zo koud als de stormen in de winter. Maar ze kunnen ook zacht zijn, als het gras in de lente. En zo warm als de wol van hun schapen. De Shetlanders *zijn* hun land. Ze *zijn* hun natuur. Ze kunnen niet anders. Ze moeten wel. Begrijpen jullie dat?'

'Een heel klein beetje,' zegt Merel. Misschien is het makkelijker om zacht te zijn in Nederland, denkt ze. Daar gaat alles meer vanzelf. Hier is het leven moeilijk. Het lukt

alleen als je een beetje hard bent. Maar al begrijpt ze het wel zo ongeveer, leuk is anders.

'Zijn alle Shetlanders zo?' vraagt ze.

Oom Peter start de auto en rijdt de heuvel af. Hij moet het stuur goed vasthouden, anders wordt de auto van de weg geblazen.

'Natuurlijk niet,' zegt hij. 'Ik heb jullie makrelen van gisteren achterin liggen. Die zullen we even bij iemand gaan brengen.'

'Ik dacht al, wat ruik ik,' zegt Melle.

In Hillswick rijdt oom Peter het hotel voorbij. Hij neemt een smal weggetje dat naar de haven voert. Daar parkeert hij de auto. De *Anna Pink* ligt aan de steiger en stuitert woest op de golven. Merel krijgt een schuimvlok in haar ogen als ze uitstapt. Het prikt venijnig.

Oom Peter opent de kofferbak van de auto. Wat een rommel ligt daarin! Merel ziet een reserveband en een kartonnen doos met allerlei gereedschap. Daarnaast ligt een enorme berg dik touw. Helemaal vooraan staat de emmer met makreel.

Oom Peter tilt de emmer eruit, sluit de achterbak en loopt naar een garagedeur. Als hij aanklopt, gaat de deur op een kiertje open . Een vrolijke vrouw met pluizig, grijs haar kijkt om het hoekje.

'*Oh, hello Peter*,' zegt ze. '*Come in!*'

Ze opent de deur. Merel en Melle volgen hun oom naar binnen. De storm slaat de deur met een klap achter hen dicht.

Merel kan de vrouw nu beter bekijken. Ze lijkt een beetje op tante Tanya, maar dan kleiner. En ze draagt een zwarte trui in plaats van een bloemetjesbloes.

'Dit is Jan,' zegt oom Peter.

Melle schiet in de lach.

'Een vrouw die Jan heet,' fluistert hij.

Merel geeft hem een por in zijn zij.

'*And Jan, this is Merel and her brother Melle*,' gaat oom Peter door.

'*Nice to meet you*,' zegt Jan.

Merel kijkt om zich heen. Er staan geen auto's in deze garage. Met wat houten planken zijn er kleine hokjes gemaakt. In sommige hokjes staat een plastic opblaasbadje met water erin. Zeewater, dat kan Merel goed ruiken. De meeste hokjes zijn leeg, maar ergens achterin is beweging. Dan ziet ze het.

'Een zeehondje!'

'Dit is de *sanctuary*, het opvangcentrum,' zegt oom Peter. 'Jan zorgt hier voor kleine zeehondjes die hun moeder kwijt zijn. Maar ze vangt ook *dratsies* op, dat zijn zeeotters. Er is zelfs een keer een schildpad gevonden. Dat doet Jan al 25 jaar. Goed hè? Zulke Shetlanders bestaan dus ook.'

Merel is naar het zeehondje gerend. Het kijkt haar aan met zijn ronde, zwarte kijkers. Merel kan haar ogen er niet vanaf houden. Het lijkt net of het zeehondje haar iets wil zeggen. Deze redt het wel. Maar op het strandje ligt een zeehondje dood te gaan. Ze zou het liefst een potje huilen, met haar gezicht tegen het zachte wollige zeehondje aan.

Maar dan bedenkt ze opeens iets. Je kunt wel treurig in een hoekje gaan zitten, maar dan gebeurt er niets. De enige manier om van zo'n naar gevoel af te komen, is iets gaan dóén. Gewoon gaan helpen, zoals deze mevrouw Jan. Maar hoe dan?

'Wat is er, zus?' vraagt Melle die naast haar is komen staan. 'Je hebt weer zo'n rare rimpel boven je neus...'

Merel zegt niets terug. Ze kijkt naar het witte, pluizige bolletje en denkt aan die andere twee bolletjes op het kiezelstrand. Waarvan er eentje dood moet gaan, als niemand iets doet.

Dat is het!

'We moeten die zeehondjes redden,' fluistert Merel.

'Wat? Wij? Nu?' vraagt Melle. 'Ik weet niet of je het weet, maar het stormt nogal.'

'Niet nu, na de storm,' zegt Merel. 'Zo gauw het kan.'

Ze weet het heel zeker. Dit móét ze doen.

Al was het alleen maar om neef Michael te pesten.

Olie op de golven

Zo gauw Merel en Melle met oom Peter de hal binnen stappen, stormt tante Tanya de keuken uit. Ze is opgewonden. Haar anders zo bleke wangen hebben rode blosjes.

'*Oh Peter, terrible news!*' roept ze.

In rap Engels vertelt ze een verhaal waar Merel bijna niets van begrijpt. Ze verstaat alleen de woorden 'tanker', 'storm' en '*sea*'. Maar het is een slecht bericht, dat ziet ze aan het witte, strakke gezicht van oom Peter.

Als tante Tanya uitgesproken is, loopt hij meteen terug naar de auto. Merel en Melle moeten mee. Onderweg vertelt oom Peter wat er aan de hand is.

'Er is vanochtend een olietanker van de terminal vertrokken,' zegt hij. 'Maar hij is op de oceaan in problemen geraakt en naar de kust gedreven. Nu zit hij vast op een rots en er lekt olie uit. Heel veel olie. Niemand kan erbij komen, vanwege de storm. We rijden naar de kust om te kijken.'

Dat hebben meer mensen bedacht. Er staat een hele rij auto's geparkeerd. Groepjes mensen staan een eindje verder boven op de klif en staren naar de zee.

Merel en Melle zwoegen tegen de machtige wind in om ook boven te komen. De regen is gelukkig gestopt, maar het gras is zo nat dat ze telkens terugglijden. Hijgend bereiken ze de andere toeschouwers.

En wat ze dan zien, is vreselijk.

Een eind uit de kust, in de diepte, ligt een enorm schip half op zijn kant tegen een rots. Reusachtige golven slaan eroverheen. Vuilgeel schuim spat op en wordt door de storm naar de kliffen gejaagd.

'Lastig fietsen vandaag,' gilt Melle.

Merel zegt niets terug. Ze kijkt alleen.

Achter het schip is de zee loodgrijs, maar tussen de rots en de kust drijft een bruinrode vlek. De olie lekt met liters tegelijk uit het schip. Terwijl Merel kijkt, ziet ze de vlek groter worden. Hij komt steeds dichter bij de kust. Het zal niet lang duren tot de plak olie het land bereikt. En dus ook de kiezelstrandjes aan de voet van de rode rotsen.

Merel pakt Melles arm vast.

'De zeehondjes!' gilt ze. 'Daar verderop is het strand van de zeehondjes!'

'Hoe weet je dat?' vraagt Melle.

'Daar is de vuurtoren,' schreeuwt Merel in zijn oor. 'Je kan net het puntje zien!'

'Nou, jammer dan,' roept Melle terug. 'Niks aan te doen.'

Nee, niks aan te doen. De oceaan is woest en gevaarlijk. Geen schip kan nu uitvaren, zelfs niet om de mensen op de tanker te helpen. De zeehondjes zullen doodgaan. Zo is de natuur. Dat is normaal, op de Shetlands.

Ergens achter Merel klinkt een geluid als van een motorbootje. Dat kan natuurlijk niet, motorbootjes varen niet op hoge kliffen. Merel draait zich om. Onder de jagende wolken komt een helikopter aangevlogen. Een oranje helikopter. Hij vliegt zo laag dat Merel de piloot kan zien zitten.

'De reddingsbrigade,' brult oom Peter. 'Ze gaan proberen de bemanning van het schip te halen.'

De helikopter scheert vlak over hen heen. Dan maakt hij een draai en duikt nog verder omlaag. Nu hangt hij vlak boven het schuin liggende schip.

Oom Peter geeft Merel een verrekijker. Zo kan ze zien hoe de zijdeur van de helikopter opengaat. Er verschijnt een man in de opening. Zijn pak is net zo oranje als de helikopter.

'Wat doen ze?' gilt Melle.

Merel geeft hem de verrekijker. Ze kan het zo ook wel zien. De oranje man springt naar beneden. Hij hangt aan een touw dat heen en weer zwaait in de storm.

Heel langzaam wordt de lijn langer, net als de vislijnen gistermiddag. De man zakt naar het dek van de tanker. Maar het is moeilijk om precies goed te landen. Door de storm zwaait de man alle kanten op.

'Dat hij dat durft!' roept Melle.

Hij geeft de verrekijker terug. Nu kan Merel zien dat de man op het schip is geland. Hij houdt zich vast aan de reling. Een andere man komt tevoorschijn. Hij glibbert over het scheve dek naar de oranje man toe. Ze pakken elkaar vast. Dan vliegt de helikopter een stukje omhoog.

De twee mannen komen los van het dek. Dicht tegen elkaar aan bungelen ze boven de woeste zee. Langzaam wordt de lijn weer binnengehaald tot beide mannen veilig in de helikopter zijn.

De mensen op de klif juichen. Maar er zijn nog meer mannen aan boord, dus de oranje man laat zich opnieuw zakken. Hij redt een tweede man, en daarna nog een derde.

R-02
SAR

'Het lijkt wel mensenvissen,' gilt Melle.

Merel kan er niet om lachen. Ze geeft de verrekijker terug aan oom Peter. Ze heeft genoeg gezien. De mensen van de reddingsbrigade zijn ontzettend dapper, vindt ze. En slim. Als je iemand wilt redden en de zee is te ruw om op te varen, moet je iets anders verzinnen. Dan moet je het bijvoorbeeld via de lucht doen. Van bovenaf dus...

'Kom,' roept oom Peter. 'We gaan. Ik heb trek in soep.'

Op de terugweg zegt Merel helemaal niets. Ze denkt na. De olievlek is al gevaarlijk dicht bij de kust. Er ligt een touw achterin de auto van oom Peter...

Opeens ziet ze voor zich hoe het moet.

Het plan is er!

Over de rand

'Kom snel binnen,' zegt oom Peter als hij de auto voor het hotel parkeert. 'Jullie zullen wel koud zijn.'

'Nee, we blijven nog even in de storm,' zegt Merel. 'Dat is leuk.'

'Wat je leuk vindt,' bromt Melle. 'Ik krijg de deur niet eens open.'

'Wij blijven nog even buiten,' herhaalt Merel met klem.

Melle kijkt haar aan. Dan pas begrijpt hij dat er iets aan de hand is. Hij haalt zijn schouders op.

'Als jij het zegt,' mompelt hij.

Oom Peter helpt ze uit de auto. Merel trekt de rits van haar jas los en tilt hem bij de punten boven haar hoofd. Nu is haar jas een zeil en kan ze voorover in de wind hangen. Dat gaat goed tot er een windstoot komt die haar ondersteboven blaast.

'Doe wel voorzichtig!' roept oom Peter.

Hij loopt op een sukkeldrafje naar de voordeur, de wind in zijn rug. Zo gauw hij binnen is, ritst Merel haar jas dicht. Ze kijkt om zich heen. Behalve Melle en zij is er niemand buiten.

'Kom,' gilt ze.

Ze rent terug naar de auto, met Melle achter zich aan. De achterklep is gelukkig niet op slot. Dat hoeft niet op de Shetlands.

'Wat ben je van plan?' vraagt Melle.

'Wacht maar af,' zegt Merel.

Ze tilt de berg touw eruit. Er liggen ook wat smerige handschoenen. Die zijn misschien handig als het touw erg ruw is aan haar handen.

'Nu naar de pony's,' roept Merel.

Het touw is zwaar, ze moeten het samen dragen. Op het gladde gras en tegen de storm in komen ze maar moeilijk vooruit.

'Waar wil je heen?' gilt Melle.

'Naar de vuurtoren,' roept Merel terug.

En dan heeft haar broertje het eindelijk door.

'Wil je de zeehondjes redden?' gilt hij. 'Je bent gek!'

Maar hij volgt haar toch naar de wei. John en Ringo staan gelukkig vlakbij. En ze laten zich ook gewoon vastpakken. Merel legt het touw over Ringo's nek en klimt op zijn rug. Dat is lastig zonder stijgbeugels. Melle heeft het er ook moeilijk mee, maar het lukt.

Merel klakt met haar tong en de pony's komen in beweging. Uit zichzelf lopen ze de wei uit en omhoog, de heuvel op. Precies zoals Michael het al zei: de pony's weten het zelf heel goed.

Tegen de wind in bereiken ze het stenige pad. Merel moet zich vasthouden aan Ringo's manen. Ze hoopt maar dat ze het dier geen pijn doet.

Bij de vuurtoren laten Merel en Melle zich op de grond glijden. Er is geen teugel of touw om de pony's vast te binden. Merel geeft John en Ringo elk een handvol brokken. Die heeft ze nog gauw meegegrist uit de voerbak.

Ze klopt de pony's op hun hals.

'Braaf hier blijven staan,' zegt ze.

Het hoge hek is heel geschikt om het touw aan vast te

binden. Merel slaat het touw om een paal en maakt het vast met wel vier strakke knopen. Dat moet genoeg zijn. Daarna gooit ze het andere eind van het touw over de rotswand. Voorzichtig gaat ze op haar buik liggen en kijkt in de diepte.

Het gras is nat en koud. Merel rilt. Ver onder haar bungelt het uiteinde van het touw vlak boven de zee. Waar is het strand? Zou het al helemaal door de golven overspoeld zijn?

Nee... Daar, als de zee zich eventjes terugtrekt, ziet Merel een randje kiezelstenen. Het strand is er nog. Maar de zeehondjes kan ze niet zien. Die liggen natuurlijk wat hoger, dicht tegen de rotswand aan. Want ze kunnen niet weg zijn. Daar zijn ze te klein voor.

'Je gaat dit toch niet echt doen?' vraagt Melle met een angstig gezicht.

'Het moet,' zegt Merel.

'Van wie?'

'Van mezelf. En ik kan het ook. Met gym ben ik altijd de beste in touwklimmen.'

'Maar het is ontzettend hoog! Doe normaal!'

Merel zucht.

'Dit zijn de Shetlands, Melle,' roept ze. 'Weet je nog? Normaal is hier anders dan thuis. Kijk nog eens naar beneden?'

Merel wijst. De bruinrode olie deint al tussen de rotsen vlak voor het kiezelstrand. Nog eventjes en hij spoelt aan.

'Geen tijd om te kletsen,' roept Merel.

Ze pakt het touw vast en geeft er een paar stevige rukken aan. Het lijkt goed vast te zitten. Merel draait zich om en laat haar benen over de rotsrand bungelen. Dan schuift ze langzaam naar achter tot ze aan het touw hangt, met haar voeten tegen de rots.

'Je bent écht gek!' gilt Melle.

Merel luistert niet. Stukje voor stukje laat ze zich zakken. Ze moet oppassen dat het touw niet door haar handen glijdt. Dat doet pijn.

Steeds hangt ze even aan één hand. Dan grijpt ze met de andere hand het touw weer wat lager vast.

De wind trekt aan haar kleren en aan haar lijf. Soms bungelt ze los van de berg. Dan zwaait ze terug en moet ze oppassen voor de scherpe rotspunten.

Hoe ver is het nog? Merel durft niet naar beneden te kijken. Hoog boven haar ziet ze Melles bange gezicht over de rotswand gluren. Merels armen beginnen gemeen pijn te doen. Ze merkt dat ze bijna buiten adem is.

Dan spoelt er een golf over haar laarzen. Het kan niet ver meer zijn! Merel kijkt tussen haar benen door naar beneden. Ze hangt vlak boven de kiezelstenen. En daar, onder de rotswand, liggen de twee witte pluizenbolletjes.

Merels hart maakt een sprongetje van blijdschap. Ze is op tijd! De baby's leven nog! De moeder is er niet. Er is verder geen zeehond te bekennen. Die zijn natuurlijk allemaal gevlucht voor de olie.

Vlug laat Merel zich vallen. Pft, ze heeft het warm gekregen van die klimpartij. Merel knoopt haar jas om haar middel en loopt naar de kleine zeehondjes. Die blijven rustig liggen.

Met grote zwarte ogen kijken ze naar haar op.

'Rustig maar,' zegt Merel. 'Niet bang zijn. Alles komt

goed. We gaan jullie redden. Begrijp je dat?'

De zeehondjes piepen wat. Het is net of ze antwoord geven. Voorzichtig tilt Merel er eentje op. Het dier is bang, het trilt over zijn hele lijfje.

Merel voelt het hart bonzen tegen haar hand. Ze begraaft haar neus in het witte dons en geeft het een kus. Het zeehondje ruikt lekker naar verse vis en zeewater.

Merel loopt terug naar het touw. Nu is het simpel. Ze hoeft het diertje alleen maar vast te binden, dan kan Melle het naar boven trekken.

Met het tweede zeehondje gaat ze hetzelfde doen. En daarna zal Merel zelf terug omhoog klimmen. Of ze dat wel kan, weet ze niet. Het is anders dan in de gymzaal. Daar zijn geen scherpe rotsen. En er is ook geen wind. Maar daar gaat ze nu niet over nadenken. Eerst de zeehondjes.

Merel probeert het touw te pakken. Het begint opeens heftig te slingeren. Dat komt natuurlijk door de wind. Met het zeehondje onder haar arm springt Merel heen en weer. Ze kan het touw steeds net niet pakken. Vreemd is dat! Zo hard waait het hier bij de rotsen toch niet?

Merel kijkt omhoog – en krijgt de schrik van haar leven. Melle komt ook naar beneden! Dat was de bedoeling niet! Hij moet boven blijven, anders is er niemand om het touw op te hijsen. Dat heeft ze toch gezegd?

O nee, dat heeft ze niet gezegd. Ze dacht dat Melle het wel zou begrijpen. Niet dus. Hij heeft besloten dat hij haar moet komen helpen. Fijn.

'Melle!' gilt Merel. 'Ga terug! Klim omhoog!'

Maar haar broertje hangt ver boven haar, in de volle storm. Hij kan haar onmogelijk horen.

'Melle!' gilt Merel zo hard als ze kan. 'Melle! Nee! Niet doen!'

Het helpt niet. Langzaam maar zeker komt Melle naar beneden. Zijn voeten zet hij steeds tegen de rotswand, net als Merel daarnet. Zijn handen zijn wit van het knijpen in het touw.

Nog tien meter.

Nog acht, nog zes...

'Ga terug!' gilt Merel nog een keer.

Nu hoort Melle haar.

'Wat zeg je?' roept hij.

'Terug! Je moet boven blijven!'

Melle laat zich nog iets verder zakken. Als hij vlak boven Merels hoofd hangt, kijkt hij naar beneden.

'Wat zeg je nou?' vraagt hij.

Merel trappelt wanhopig met haar voeten op de kiezels. De babyzeehond onder haar arm piept van schrik.

'Je had boven moeten blijven. Om de zeehondjes op te hijsen!'

Melle is even stil. Hij kijkt zijn zus met verbaasde ogen aan.

'Je bedoelt dat ik terug moet?' vraagt hij.

'Ja. Kan je dat nog?'

'Ik weet niet,' zegt Melle aarzelend.

Hij haalt diep adem en verplaatst een hand naar boven. Dan zet hij zijn voeten wat hoger tegen de rots. Met alle kracht trekt hij zichzelf omhoog.

Dan gebeurt er iets raars. Melle valt. Hij gilt. Met een klap komt hij op de kiezels terecht. Daar ligt hij, op zijn rug. Het touw valt ook. Het stort vlak naast hem en vormt een grote berg.

Merel kan het niet geloven. Is het touw geknapt? Ze zoekt het uiteinde en kijkt. Nee. Dus de knopen zijn gewoon losgegaan.

'Au,' zegt Melle zwakjes.

Hij staat op.

'Gaat het?' vraagt Merel.

Melle knikt.

Allebei weten ze niets te zeggen. Ook het zeehondje is stil. Boven en achter hen loeit de storm. Plakken olie spoelen over de kiezelstenen rond hun voeten.

Daar staan ze dan. Dit is niet goed, weet Merel. Want ze kunnen niet meer weg.

En niemand weet waar ze zijn.

Vloed

Merel kijkt omhoog. Er is niets te zien behalve de jagende wolken. Zelfs de vuurtoren is verborgen achter de overhellende rotsen.

'De golven,' gilt Melle. 'Het wordt vloed!'

Merel kijkt om. Komt het water verder dan daarnet?

Dat mag niet! Want dan loopt het hier onder water. Hoe hoog komen de golven dan? Merel rilt. Ze knijpt haar ogen dicht. Dit is vast een droom. Verdrinken doe je niet echt. Dat kan gewoon niet.

Dan hoort ze een bekend geluid boven de storm uit. De helikopter. Blijkbaar zijn de laatste mannen van het schip nu ook gered.

Dit is hun enige kans! Misschien kan de piloot hen wél zien staan!

Merel zwaait met haar vrije arm. Melle doet hetzelfde. 'Help!' gillen ze. 'Hier zijn wij!'

Maar de helikopter vliegt hoog en hij gaat hard. De mannen van de tanker moeten natuurlijk zo snel mogelijk naar het ziekenhuis. Het duurt maar een paar tellen, dan is hij al verdwenen. Nu loeit alleen de storm nog boven hun hoofden.

Melle loopt naar de rotswand en ploft neer op de kiezels. Hij trekt zijn knieën tegen zijn borst. Somber staart hij voor zich uit.

Het tweede zeehondje ligt vlak naast hem, maar het

kijkt niet op. Zijn oogjes zijn dicht. Merel ziet zijn buikje snel op en neer gaan.

'Hij is ziek,' zegt ze.

'Hij gaat dood,' zegt Melle. 'En wij ook.'

Merel wordt boos.

'Had je maar niet naar beneden moeten klimmen!' schreeuwt ze.

'Had jij maar niet zo'n stom plan moeten bedenken,' gilt Melle terug.

'Het was geen stom plan! Totdat jij naar beneden kwam, was het een heel goed plan!'

Daar weet Melle niets op te zeggen. Boos kijkt hij naar de kiezels aan zijn voeten.

Merel loopt ook naar de rotswand. Voorzichtig legt ze haar zeehondje terug naast zijn broertje of zusje.

'Hou hem maar lekker warm,' zegt ze zachtjes. 'We gaan iets verzinnen.'

De zeehondjes kijken elkaar niet aan. Alsof ze ook ruzie hebben. Maar misschien lijkt dat maar zo. Zeehonden trekken zich niets van elkaar aan, zei Michael al.

Merel loopt heen en weer over het strandje. Het wordt steeds kleiner. Ze bekijkt elke rotspunt. Kan ze hier omhoog? Of daar? Ze móet iets bedenken. Anders krijgt Melle gelijk. Ze wil er niet aan denken.

Er moet een manier zijn om iemand te waarschuwen. Met een vuur bijvoorbeeld – maar er is geen hout en Merel heeft geen lucifers. Misschien kunnen ze heel erg hard schreeuwen... Maar als Merel de bulderende storm hoort, weet ze dat dat zinloos zou zijn. Wie zou hen moeten horen?

Kunnen ze dan iets aan het touw binden en dat in zee gooien? Dan ziet misschien iemand het drijven en begrijpt misschien... Maar er is niets op het strandje dat kan drijven. Behalve de zeehondjes. Merel huivert. Die twee pluisjes gaan ze natuurlijk niet tussen de rotsen gooien, in dat smerige water.

Er is gewoon niets. Ze kunnen niets doen. Merel kan alleen naar de golven kijken, die steeds verder het strand op rollen. Er zijn nog maar een paar meters tussen haar voeten en de Atlantische Oceaan. IJskoud water, vol haaien en orka's.

Merel kijkt naar Melle. Hij staart nog steeds voor zich uit, maar hij lijkt niet meer zo boos. Hij ziet er eerder verdrietig uit. En bang.

'Het spijt me,' zegt Merel.

Melle haalt zijn schouders op.

'Jij kan er ook niks aan doen,' zegt hij. 'Jij doet nou eenmaal altijd van die stomme dingen.'

Merel wil iets terugzeggen, maar ze houdt haar mond. Melle heeft gelijk. Ze had nooit over de rand moeten klimmen. Dat was dom en gevaarlijk. Maar ze kon niet anders. Ze móést iets doen. Voor de zeehondjes. En tégen Michael.

En nu is het mislukt.

Merel denkt aan thuis. Wat doen papa en mama nu? Het is vast later dan twaalf uur. Waarschijnlijk eten ze samen een broodje. Met koffie erbij. De radio staat aan, net als altijd. Ze luisteren naar het nieuws. En dan horen ze misschien dat er twee Nederlandse kinderen vermist zijn op de Shetlands. Dat de politie geen idee heeft waar ze zitten. Merel voelt de tranen opkomen. Stop! Van huilen wordt het alleen maar erger.

'Het wordt vloed.' Melle wijst naar de bruinrode, stinkende golven. Ze komen nu bijna tot hun voeten.

Hoe lang zitten ze hier al? Een halfuur? Misschien wel langer. Die vloed gaat snel.

'Ik weet iets,' zegt Melle. 'Ik bind het touw om mijn middel. En dan zwem ik naar die rots daar. Kijk, aan de linkerkant is hij niet zo steil. Misschien kan ik erop klimmen. Misschien kan iemand me daar zien.'

'Wie dan?' vraagt Merel. 'De helikopter is allang weg.'

'Maar we moeten toch iets proberen,' zegt Melle. 'Misschien is oom Peter wel in de buurt. Als hij ziet dat de pony's ook weg zijn... Hij is ons vast al aan het zoeken.'

Ja, dat is waar. De pony's weten de weg. En Michael weet van de zeehondjes. En hij weet dat Merel en Melle dat weten. Van de pony's, en de zeehondjes – o, het is zo ingewikkeld allemaal!

Merel kijkt naar de rots. Hij staat misschien wel vijftig meter van het strandje. De zee eromheen is vol met olie.

'In die troep kun je toch niet zwemmen?' zegt ze.

'Weet jij iets beters?' zegt Melle.

Daar heeft Merel geen antwoord op. Maar dat hoeft ook niet, want er beweegt iets achter de rotsen, op zee. Het is iets wits, dat wild op en neer deint. Is het een boot?

Um en Um

Merel kan het bijna niet geloven. Dat bootje is de *Anna Pink*. Ze knijpt haar ogen dicht en tuurt. Ja! Het is de *Anna Pink*.

Melle staat vlak naast Merel en houdt haar hand vast. De golven slaan nu al over hun voeten, maar dat maakt niets meer uit. Met ingehouden adem zien ze hoe Michael zijn boot tussen de rotsen door laveert. Het is moeilijk, de zee rukt en trekt. Stukje bij beetje komt de boot dichterbij. En nu horen ze ook de stem van hun neef, boven de wind uit.

'Melle! Merel! Alles goed?'

'Ja Michael! We zijn hier!' gilt Merel.

'Hè hè,' zegt Melle. Maar zijn ogen glimmen.

De boot komt steeds dichterbij, tot de voorplecht met een krakend geluid op het kiezelstrand schuift. Michael springt van boord. Zijn gezicht zit onder de olievlekken, maar hij grijnst breder dan ooit. Merel is opeens dolblij met haar rare neef.

'Jullie zijn *mad!*' roept hij. 'Gek! Niet alleen gek, maar – hoe zeg je dat? Hartstikke gek! Alleen maar voor die stomme *selkies!*'

Maar hij helpt wel om de zeehondjes veilig in de kajuit van de *Anna Pink* te leggen. Merel blijft bij ze zitten om op te passen.

'Het touw moet ook mee,' roept Michael. 'Anders wordt mijn vader boos.'

ANNA PINK

Melle en Michael duwen samen de boot van het strandje. Stinkend van de olie klimmen ze terug aan boord.

'Hoe wist je waar we waren?' vraagt Melle.

'Makkelijk,' zegt Michael. 'Mijn vader ging jullie roepen om te eten, maar jullie waren er niet. Toen zag hij dat Ringo en John ook weg waren. En toen wist ik alles.' Hij lacht breed. 'Merel en de *selkies*. Simpel. Goed bedacht, dat touw.'

Ja, denkt Merel. Alleen niet zo heel goed uitgevoerd.

Michael haalt een telefoon tevoorschijn. Terwijl hij de boot start, voert hij een kort gesprekje.

'Iedereen blij,' zegt hij als hij de telefoon weer opbergt. 'Mijn vader haalt de pony's op.'

Dan keert hij de boot en vaart voorzichtig tussen de rotsen door, terug naar open zee.

'Hou je vast. Dit wordt een ruige rit.'

Waar olie op de golven ligt, is de zee nog redelijk rustig. De olie is zwaar en houdt de golven laag. Maar hoe verder ze komen, hoe dunner de bruinrode drab wordt. De *Anna Pink* begint steeds woester te dansen. Merel grijpt zich vast om niet door de kajuit te slingeren.

'Nog even,' brult Michael. 'Het gaat beter worden!'

Merel kijkt naar de zeehondjes. Ze liggen naast haar op de bank, dicht tegen elkaar aan. Het ene dier heeft zijn heldere ogen open. Alsof hij probeert te begrijpen wat er gebeurt. Zijn broertje of zusje ligt slap en ziet niets – het is alleen maar bezig met ademhalen.

'Opschieten Michael!' roept Merel. 'We moeten naar Jan!'

'*Ay ay captain*!' roept Michael.

De *Anna Pink* is nu de kliffen voorbij. Links ligt de baai van Hillswick. Daar drijft gelukkig nog geen olie.

Michael draait de boot. De storm komt nu recht van achteren. Het vreselijke geschommel houdt op. Met de wind in de rug vliegt het schip bijna naar het hotel. Binnen de kortste keren kunnen ze op de steiger springen. Ze zijn veilig!

Oom Peter en tante Tanya rennen hen al tegemoet. Laurel en Hardy dartelen om ze heen.

'*O my children!*' roept tante Tanya, en ze spreidt haar armen wijd uit.

Oom Peter weet niets meer te zeggen dan: 'Tjongejonge. Tjongejonge...'

Michael haalt de zeehondjes van boord. Merel en Melle krijgen er allebei een in hun armen. In optocht lopen ze naar de garage van Jan. Die weet blijkbaar al wat er gebeurd is. Ze staat lachend te wachten.

'*Heroes!*' roept ze.

'Ze bedoelt dat jullie helden zijn,' zegt oom Peter.

Het sterke zeehondje mag in een eigen hok met zwembadje. Maar het kleine broertje of zusje neemt Jan op schoot. Er gaat meteen een volle fles vette melk in. Jan lacht tevreden.

'*He'll make it*,' zegt ze.

'Hij gaat niet dood,' zegt Michael. 'Jullie waren net op tijd.'

'En nu nog namen verzinnen,' zegt oom Peter. 'Dat is de regel hier. Wie een zeehondje vindt, mag er een naam voor bedenken. Wat zullen we doen? Merel en Melle misschien?'

'M&M,' lacht Michael.

Maar Merel heeft een beter idee.

'Um en Um,' roept ze. 'Natuurlijk, zo noemde de stewardess ons. Ummetjes. Omdat we zonder ouders op reis gingen. En deze zeehondjes hebben ook geen ouders meer...'

'Um *and* Um,' herhaalt Jan peinzend. '*Funny...*'

Ze legt het zwakke zeehondje op een zachte deken onder een lamp. Daar kan hij lekker doorwarmen. Dan haalt ze iets te drinken voor iedereen.

'Op Merel en Melle,' roept oom Peter. 'Zacht als het gras in de lente, maar hard als de rotsen wanneer het moet. Mensen om trots op te zijn! Vanaf vandaag zijn ze echte Shetlanders.'

Iedereen tilt zijn glas op.

'Merel en Melle,' zegt Michael.

'En Michael,' vult Merel aan. 'En Um en Um.'

Er klinkt een kleine plons. Um heeft het zwembadje ontdekt en spartelt al lekker rond.

Of is het Um?

Mooi, leeg en veel

Het wordt druk in Jans opvang. Er komen mensen langs van de krant en Merel en Melle moeten op de foto. Ook Michael wordt gefotografeerd, met de olievlekken nog op zijn gezicht. Er komt zelfs een meneer met een stropdas uit Lerwick om de tweeling de hand te schudden.

Maar het fijnst is wel dat mama belt, uit Nederland. Op de mobiel van oom Peter. En dat zou ze juist niet elke dag doen!

'Hoe gaat het, lieverd?' vraagt ze aan Merel. 'We hebben alles op tv gezien!'

Daar staat Merel van te kijken. Hoe kan dat nou? Er was toch geen camera op het kiezelstrand?

Maar mama bedoelt het ongeluk met de tanker. Van de zeehondjes weet ze helemaal niks. En dus moet Merel het hele verhaal vertellen. Dat duurt lang, en het kost vast heel veel geld. Maar dat geeft even niet.

'Jongens, wat een avontuur,' zegt mama als Merel klaar is. 'Beloof je dat je de rest van de vakantie geen gekke dingen meer doet?'

Dan wordt het tijd om naar het hotel te gaan. Voor ze vertrekt, kijkt Merel nog even bij de zwakke zeehond. Hij ziet er al veel beter uit. Hij ademt rustig en hij doet zelfs even zijn oogjes open.

'Dag Um,' zegt Merel. 'Ik kom gauw weer langs.'

Het lijkt zelfs of ze een knipoog krijgt van de kleine Um – of is het Um?

Ze nemen afscheid van Jan en stappen naar buiten. De ergste storm is voorbij. Het waait nog wel, maar de golven in de baai zijn al minder hoog.

'Een lekker begin van de vakantie,' zegt oom Peter. 'Wat gaan jullie de komende tijd nog doen? Een orka vangen? Op visite bij de *trows*?'

'Wat zijn dat?' vraagt Melle.

'Onze plaatselijke aardmannetjes,' legt oom Peter uit. 'Er is hier zo veel waar jullie nog niks van weten... En we moeten naar het museum. We hebben een schitterend museum!'

'Als je wil, gaan we de zee weer op,' zegt Michael.

'Maar we gaan niet vissen!' roept Merel meteen.

'Nee,' zegt Michael. 'We moeten vogels redden. Vogels die vastzitten in de olie.'

Dat is een goed plan. Merel wil meteen terug naar de *Anna Pink*. Maar oom Peter vindt de zee nog te ruig.

'Er is nog tijd genoeg,' zegt hij. 'Jullie hebben nog vier dagen vakantie!'

's Avonds staat Merel voor het raam van hun kleine kamer onder het dak. De laatste zon tovert oranje strepen op het water in de baai. Er zweven wat meeuwen in het late licht. Op het grasveld voor het hotel zitten Laurel en Hardy elkaar na. De pony's staan weer veilig in de wei.

Melle ligt op zijn bed en heeft een koptelefoon op. Maar hij luistert niet naar muziek, ziet Merel. Hij denkt na. Over alles. Net als zijzelf. Merel denkt aan het kiezelstrand en aan de golven van de oceaan. Wat zou er gebeurd zijn als Michael een uurtje later was gekomen – of helemaal niet?

Ze kijkt in de verte naar de heuvels en de oceaan. *Da haaf*... Zo mooi om te zien. En zo dodelijk ook...

'Wat is het mooi,' zucht ze.

'Wat is het leeg,' zegt Melle.

'Maar wat is er veel,' besluit Merel.

En als ze haar ogen dichtdoet, is er nog meer. Ze kan de scholen makreel zien zwemmen en de orka's. Ze ziet de papegaaiduikers sardientjes opvissen uit de grijze golven. Als ze heel erg haar best doet, voelt ze een ponylijf onder haar billen en ruikt ze een zeehondje in haar armen.

Merel kijkt naar de beelden in haar hoofd en ze denkt na en ze voelt. En dan kijkt ze met haar ogen open. Naar de meeuwen in de hoge lucht en de jagende wolken. Naar de honden in de schemering. En naar het eindeloze water.

Misschien is dit land, dit stipje in de oceaan, waar het leven soms hard en soms zacht is, en waar de mensen als het leven zijn, misschien is het hier wel...

Maar dan hoort ze de stem van haar gekke lieve neef. 'Bloedsoep is klaar!'

Over dit boek

Dat was het verhaal over Merel en Melle op de Shetlands. Het is zo'n bijzonder land dat ik jullie erover wilde vertellen. Alle plekken in dit boek bestaan echt. Ga maar eens zeuren bij je ouders of je er zelf een keertje heen mag. Niet bang zijn voor een beetje bloed!

Maar ook als je thuisblijft, kun je naar de Shetlands. Met je computer! Er zijn filmpjes genoeg te vinden over vissen op makreel en vreselijke stormen. Zoek maar eens op YouTube. De *sanctuary* van Jan vind je op www.shetlandwildlifesanctuary.com.

Dit is het vijfde boek over Merel en Melle. Ik ben van plan om nog meer boeken over de tweeling te schrijven. Allemaal verhalen vol avontuur, waar ook nog wat bij te lachen valt. Ik denk dat ik ze eens een spannend avontuur laat beleven op het ijs. En er is ook vast een mooi kasteel in Nederland waar ze nog nooit geweest zijn.

Misschien heb jij ook wel een goed idee. Heb jij een avontuur meegemaakt (of verzonnen) dat je echt iets vindt voor Merel en Melle? Laat het me dan weten! Als ik jouw idee gebruik, komt je naam in het boek te staan!

Stuur je ideeën naar
Hans Kuyper
Postbus 1266
1500 AG ZAANDAM.

Of mail me: hanskuyper@hotmail.com. Je krijgt in elk geval antwoord!

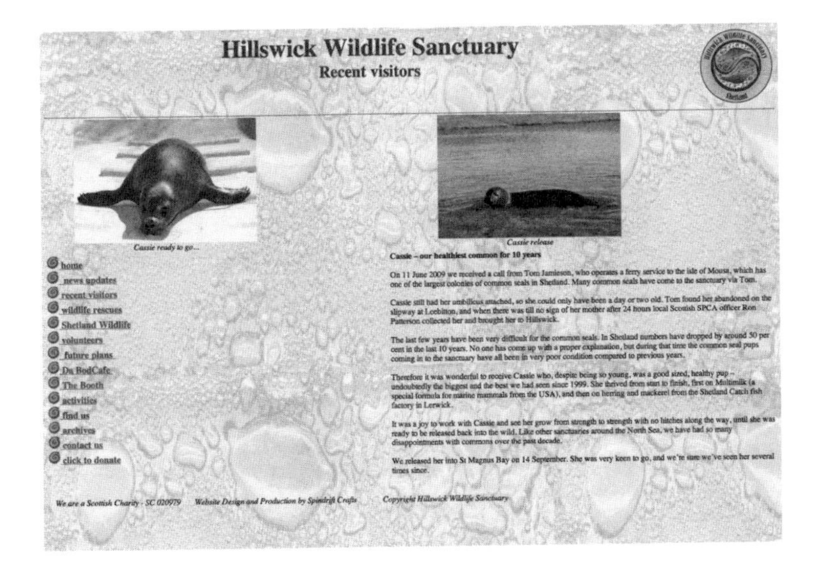

Hillswick Wildlife Sanctuary

Recent visitors

Cassie ready to go...

Cassie release

- home
- news updates
- recent visitors
- wildlife rescues
- Shetland Wildlife
- volunteers
- future plans
- Da BodCafe
- The Booth
- activities
- find us
- archives
- contact us
- click to donate

Cassie – our healthiest common for 10 years

On 11 June 2009 we received a call from Tom Jamieson, who operates a ferry service to the isle of Mousa, which has one of the largest colonies of common seals in Shetland. Many common seals have come to the sanctuary via Tom.

Cassie still had her umbilicus attached, so she could only have been a day or two old. Tom found her abandoned on the slipway at Leebitton, and when there was till no sign of her mother after 24 hours local Scottish SPCA officer Ron Patterson collected her and brought her to Hillswick.

The last few years have been very difficult for the common seals. In Shetland numbers have dropped by around 50 per cent in the last 10 years. No one has come up with a proper explanation, but during that time the common seal pups coming in to the sanctuary have all been in very poor condition compared to previous years.

Therefore it was wonderful to receive Cassie who, despite being so young, was a good sized, healthy pup – undoubtedly the biggest and the best we had seen since 1999. She thrived from start to finish, first on Multimilk (a special formula for marine mammals from the USA), and then on herring and mackerel from the Shetland Catch fish factory in Lerwick.

It was a joy to work with Cassie and see her grow from strength to strength with no hitches along the way, until she was ready to be released back into the wild. Like other sanctuaries around the North Sea, we have had so many disappointments with commons over the past decade.

We released her into St Magnus Bay on 14 September. She was very keen to go, and we're sure we've seen her several times since.

We are a Scottish Charity - SC 020979 *Website Design and Production by Spindrift Crafts*

Het geheim van het Kruitpaleis
De oude verlaten kruitfabriek is VERBODEN TERREIN! Merel en Melle zagen een gat in het hek. Ze ontdekken een vervallen huisje met een handgranaat en oude liefdesbrieven. Alles gaat prima in het Kruitpaleis. Totdat ze ontdekt worden... door soldaten met tanks.

Gered door de honden
Skiën in Finland is geweldig, vindt Merel. Maar is die vreemde man met die bontmuts wel te vertrouwen? Als ze een tocht met een hondenslee maken, dwars door de Finse bossen, is de man daar opeens. Hij gaat ervandoor op hun slee. Met Merel en Melle er nog in...

van Merel en Melle

Spooktocht in het donker

Merel ligt opgepropt tussen de zwemvesten op de boot. Haar hart gaat zo tekeer dat de man het wel móét horen.

Het schoolkamp begon leuk, maar dat de spooktocht zo spannend zou eindigen, had niemand kunnen bedenken.

Jacht op de tekenaar

In de kelder van een huis dat gesloopt wordt, vinden Merel en Melle kindertekeningen op de muur. Vrolijke, maar ook akelige, en er staat bij: *Help me!*

Wie is die geheimzinnige tekenaar? En wat doet hij in dat gevaarlijke sloophuis?